Au royaume des *Princesses*

Histoires d'amour et d'amitié

HACHETTE Jeunesse

SOMMAIRE

CENDRILLON
La magie de l'amour 1

LA BELLE AU BOIS DORMANT
L'amitié des fées 17

LA PETITE SIRÈNE
Princesse de l'océan 33

LA BELLE ET LA BÊTE
L'amour fleurit là où on ne l'attend pas 49

MULAN
Conseil d'ami 65

DUMBO
L'amitié donne des ailes… 81

ROX ET ROUKY
Amis pour la vie 97

1001 PATTES (a bug's life)
Pour l'amour d'une princesse 113

LA BELLE ET LE CLOCHARD
Les contraires s'attirent 129

LES AVENTURES DE BERNARD ET BIANCA
Des petites souris au grand cœur 145

SOMMAIRE

Bambi

La saison des amours 161

Blanche-Neige et les Sept Nains

Des amis sur qui compter 177

Aladdin

et la princesse qui refusait de se marier 193

Pocahontas, une légende indienne

Écoute ton cœur 209

Le Roi Lion

Hakuna Matata 225

Robin des Bois

Prince des hors-la-loi....................241

Le Roi Lion II, l'honneur de la tribu

L'amour est plus fort que tout....................253

Oliver & Compagnie

Des amis dans le besoin 269

Tarzan

Tu seras toujours dans mon cœur....................285

Première édition Disney Press, New York.

Bambi, d'après Felix Salten.

Ont collaboré à cet ouvrage : Sarah E. Heller pour le texte,
Myriam Bérot pour l'adaptation en langue française.

Imprimé en Espagne - Produit complet Graficas Estella.
Dépôt légal juillet 2007 - Edition 09 - ISBN 978-2-23-001295-4
Loi n°49-956 du 16 juillet 1949 sur les publications destinées à la jeunesse.

Walt Disney

Cendrillon

La magie de l'amour

La robe démodée de sa mère serrée contre son cœur, Cendrillon s'imaginait déjà valsant au bal du Prince. Cette vieille toilette ferait parfaitement l'affaire. La jeune fille avait seulement besoin de temps pour l'arranger avec un peu de dentelle, du fil et une aiguille...

« Cendrillon, viens nous aider ! » braillèrent une fois encore sa belle-mère et ses sœurs.

Elles se préparaient pour le bal et ne lui laissaient pas un moment de répit.

« Je crois que ma robe attendra », soupira la pauvre enfant.

Dès qu'elle eut quitté la pièce, Jaq, la souris favorite de Cendrillon, s'exclama :

« Cendrillon ne sera jamais prête pour aller au bal ! »

Une autre s'écria :

« Du boulot, du boulot, toujours du boulot ! Elle n'aura pas le temps de coudre sa robe ! »

Les petits amis de Cendrillon décidèrent de lui faire une surprise : ils allaient lui confectionner une robe de bal. Après tout, Cendrillon s'occupait d'eux depuis tant d'années !

Elle avait un jour sauvé ce pauvre Gus d'une souricière et dès lors, elle l'avait habillé, nourri

et protégé de Lucifer, le chat de sa belle-mère.

Avec l'aide des oiseaux, les souris transportèrent aiguilles et ciseaux, et se mirent au travail.

« Oh ! Comment vous remercier ? » s'exclama la jeune fille en voyant l'œuvre de ses amis.

La joie brillait dans ses yeux. Elle qui endurait sans jamais se plaindre les mauvais traitements de

sa belle-mère et de ses deux filles, espérait, au fond de son cœur, qu'un jour elle trouverait le bonheur.

Mais lorsqu'elle rejoignit ses sœurs, celles-ci, folles de jalousie de la voir si belle, déchirèrent sa robe. Puis elles partirent pour le bal, laissant Cendrillon qui s'effondra en larmes dans le jardin.

« Allons, allons », dit alors une voix inconnue.

C'était la bonne fée, sa marraine.

« Sèche donc tes larmes, continua-t-elle. Tu ne peux pas aller au bal dans cet état… »

Devant les yeux émerveillés de Cendrillon et de ses petits amis, elle transforma, d'un coup de baguette magique, une citrouille en un magnifique carrosse.

« Bibbidi Bobbidi Boo ! » chantait sa marraine,

et bientôt, quatre souris, Gus inclus, furent transformées en chevaux racés. Puis Cendrillon se trouva vêtue d'une splendide robe de bal. Ébahie, elle contemplait son reflet

dans l'eau de la fontaine sans pouvoir croire à tant de beauté.

« C'est magnifique ! » murmura-t-elle, les yeux brillants.

À son arrivée au palais, Cendrillon eut l'impression de vivre

un rêve. Jamais la jeune fille n'avait été aussi heureuse, et quand le Prince, subjugué par la grâce et la beauté de la ravissante inconnue, s'inclina devant elle, elle sentit son cœur battre à tout rompre.

L'assemblée ne pouvait quitter des yeux la superbe

jeune fille qui avait attiré l'attention du Prince et valsait avec lui. Il était impossible de reconnaître Cendrillon en cette jeune fille resplendissante.

« Qui est-ce ? se demandait-on. C'est sûrement

une princesse. D'où vient-elle ? »

Ensemble, le Prince et Cendrillon dansèrent longtemps dans le jardin du palais, les yeux dans les yeux, bercés par la douceur du soir.

Ils étaient tombés amoureux. Le Prince se pencha pour donner un baiser

à la jeune fille, mais le premier coup de minuit retentit. En entendant le carillon, Cendrillon se souvint de ce que lui avait dit la bonne fée : le charme serait rompu au douzième coup de minuit. Déjà, elle dévalait les marches, si vite qu'elle perdit une pantoufle dans sa course !

Le lendemain, Cendrillon avait l'air si heureuse que sa belle-mère eut tôt fait de tout comprendre et l'enferma dans le grenier.

« Laissez-moi sortir ! » supplia Cendrillon en pleurant.

Elle savait que le Duc parcourait le royaume pour faire essayer la pantoufle de verre à toutes les jeunes filles.

Heureusement, Gus et Jaq avaient tout vu. Ils réussirent à voler la clé à la méchante femme et coururent délivrer Cendrillon. Il était temps : Javotte et Anastasie avaient déjà tenté d'enfiler la pantoufle de verre !

Cendrillon descendit l'escalier en courant. Mais sa belle-mère, la voyant arriver, fit trébucher le Duc. Le soulier tomba et se brisa.

Cendrillon tira alors l'autre soulier de sa poche et demanda :

« M'autoriserez-vous à essayer celui-ci ?

– Merveilleux ! se réjouit le Duc, suivez-moi au palais. »

Le mariage fut célébré sans tarder. Gus et Jaq étaient fous de joie : leur amie avait enfin trouvé le bonheur.

Walt Disney

la Belle au Bois Dormant

L'amitié des fées

La princesse Aurore naquit dans un royaume où vivaient trois aimables fées : Flora, Pâquerette et Pimprenelle. Elles se penchèrent sur le berceau pour accorder chacune un don à l'enfant. Flora lui offrit la beauté et Pâquerette la plus belle des voix.

Soudain, la sinistre et cruelle Maléfique apparut.

« À l'aube de ses seize ans, Aurore se piquera le doigt à

la pointe d'une
quenouille…
et en mourra ! »
cria-t-elle.

Puis elle
disparut dans
un nuage
de fumée.

Heureusement, il restait encore le don de Pimprenelle.

« Je ne peux pas empêcher qu'Aurore se pique le doigt, dit-elle. Mais au lieu de mourir, elle tombera dans un profond sommeil, jusqu'au jour où un prince charmant

viendra la réveiller d'un baiser. »

Le roi ordonna que l'on brûle tous les rouets du royaume afin de conjurer la malédiction. Et, pour que Maléfique ne puisse pas retrouver la princesse, il demanda aux fées de veiller sur elle jusqu'à son seizième anniversaire.

Flora, Pâquerette et Pimprenelle abandonnèrent leurs baguettes magiques pour se déguiser en paysannes.

Elles s'occupèrent de la princesse avec amour, comme s'il s'était agi de leur propre enfant. Et pendant quinze ans, elles la gardèrent cachée dans une cabane de bûcheron.

La veille de son seizième anniversaire, les bonnes fées demandèrent à Rose, car c'est ainsi qu'elles l'avaient prénommée, d'aller cueillir des baies dans la forêt pour pouvoir lui faire un beau gâteau.

Aurore se promenait en chantant. Sa voix était si belle

que les petits habitants de la forêt s'approchèrent pour l'écouter. Elle leur fit une confidence : elle rêvait de rencontrer un prince charmant et de tomber amoureuse.

Non loin de là, le prince Philippe se promenait. Entendant la belle chanson d'Aurore, il promit une carotte à son cheval Samson s'il galopait jusqu'à la jeune fille.

Pressé de recevoir sa récompense, le cheval partit si vite qu'il fit tomber le prince dans un ruisseau.

« C'est malin ! » dit le prince en faisant la grimace.

Le prince se releva et s'approcha doucement de la jeune fille. En le voyant, elle eut un mouvement de recul. Le prince Philippe lui déclara alors :

« Je ne suis pourtant pas un étranger. Nous nous

sommes déjà rencontrés dans vos rêves. D'ailleurs, votre chanson ne parlait-elle pas d'un prince charmant ? »

À le regarder de plus près, Aurore eut effectivement l'impression qu'elle le connaissait déjà. Son sourire était si beau qu'elle lui fit immédiatement confiance et le prit par la main pour se promener avec lui dans la forêt.

Leurs yeux se croisèrent et ils surent qu'ils étaient tombés éperdument amoureux.

« C'est le plus beau jour de ma vie », annonça Rose lorsqu'elle rentra à la cabane.

Pourtant, Flora, Pâquerette et Pimprenelle furent beaucoup moins enchantées qu'elle de l'existence de ce charmant étranger. Elles lui révélèrent qu'elle était en fait une princesse et qu'elle devait retourner au palais. Aurore fut désespérée de devoir s'éloigner de celui qu'elle aimait.

Les fées conduisirent tristement la princesse jusqu'au

château de ses parents, sans s'apercevoir que Maléfique les avait retrouvées et les attendait pour mettre son mauvais sort à exécution.

Lorsque Aurore se piqua le doigt à la pointe d'une quenouille et s'endormit aussitôt, les fées plongèrent tout le château dans un profond sommeil. Elles découvrirent que l'étranger que

Aurore avait rencontré dans les bois était en fait le prince Philippe, et coururent au château de Maléfique où le jeune homme était retenu prisonnier. Unissant leurs efforts, elles réussirent à le délivrer et à l'emmener loin du donjon de la cruelle sorcière. Puis elles lui remirent le bouclier de Vertu et l'épée de Vérité, dotés de pouvoirs magiques. Grâce à eux, et grâce à son courage, le prince

Philippe parvint à tuer Maléfique qui s'était transformée en un terrible dragon.

Ranimée par un tendre baiser, la princesse Aurore ouvrit les yeux pour découvrir le visage de celui qu'elle aimait. Tous les habitants du royaume se réveillèrent à leur tour, et le roi et la reine purent enfin serrer leur fille contre leur cœur. Les noces de la princesse Aurore et du prince Philippe furent les plus belles qu'on eût jamais vues.

Disney

La Petite Sirène

Princesse de l'océan

Ariel regardait amoureusement le jeune homme qu'elle venait de sauver de la noyade. La Petite Sirène avait désobéi à son père qui lui interdisait de s'aventurer à la surface. Elle désirait tant connaître le monde des humains !

Elle caressa tendrement la joue du prince Éric, inconscient. Comme il était beau ! Elle se mit à chanter.

Pourtant, lorsque ses paupières frémirent, elle se précipita dans l'eau et se cacha. Elle vit le majordome d'Éric approcher. Il aida le prince à se lever et l'emmena.

Sébastien essaya de persuader Ariel que sa place était sous la mer. Le roi Triton l'avait chargé de surveiller sa fille et Sébastien ne voulait pas le décevoir.

« Ton monde est ici, en bas », disait-il à Ariel.

Mais malgré les efforts qu'il déploya pour lui décrire les merveilles de l'océan, rien ne put la dissuader de rejoindre le prince Éric. Elle était éperdument amoureuse.

Seul Polochon, son meilleur ami, la comprenait. Il lui offrit une statue du prince, engloutie lors du naufrage.

« Polochon, tu es adorable ! s'écria-t-elle. On dirait qu'il est vivant. »

Alors qu'elle rêvait en contemplant la statue, le roi Triton entra dans la grotte secrète d'Ariel. Voyant tous les objets de l'univers « barbare » qu'elle avait

rassemblés, il entra dans une colère noire. Il brandit son trident magique et détruisit tous les trésors de sa fille dans l'espoir de la protéger des dangers du monde des humains.

Désespérée, Ariel accepta l'aide d'Ursula, la sorcière des Mers. En échange de la voix de la sirène, Ursula fit disparaître sa queue et lui offrit deux jambes. Pour qu'elle garde à jamais son apparence humaine, il faudrait que le prince l'embrasse avant le soir du troisième jour. Sinon, elle deviendrait pour toujours l'esclave de la sorcière.

Heureuse d'être enfin humaine, Ariel faisait gaiement gigoter ses orteils sous l'œil désapprobateur de Sébastien.

« Je vais tout raconter au roi », menaça-t-il.

Mais, en voyant ses yeux tristes, il comprit qu'Ariel ne serait plus jamais heureuse si elle redevenait sirène.

« Bon, d'accord,

décida-t-il.

On va le retrouver,

ton prince. »

Eurêka,

la mouette, s'amusa

à bricoler une robe

pour son amie Ariel.

Puis il ne fallut pas longtemps avant que le prince arrive.

« C'est vous que je cherchais ! » s'écria-t-il.

Ariel, incapable de répondre, se contenta de hocher la tête en souriant. Éric se souvenait que la jeune fille qui

l'avait sauvé des flots possédait la plus belle voix du monde.

« Oh non, ce n'est pas vous », soupira-t-il.

Il décida quand même de la ramener au château.

Ce soir-là, ils dînèrent ensemble et le prince rit de bon

cœur devant
les maladresses
d'Ariel.
Le lendemain,
il l'emmena visiter
son royaume et fut
charmé par son
enthousiasme.

Étonné et ravi de découvrir quelqu'un d'aussi joyeux, Éric était sous le charme de son invitée.

Le soir suivant, alors qu'Ariel et Éric se promenaient en barque, Sébastien improvisa un petit concert pour créer

une ambiance romantique. Attendri par la musique et par le reflet de la lune, Éric se pencha pour embrasser Ariel.

Mais, à cet instant précis, les murènes apprivoisées d'Ursula firent chavirer leur barque !

La sorcière des Mers se transforma alors en une ravissante demoiselle nommée Vanessa. Elle fit croire au prince qu'elle était la jeune fille de ses rêves et le persuada de l'épouser pour faire échouer les projets d'Ariel.

Eurêka découvrit la supercherie et rassembla les créatures de l'océan pour l'aider à empêcher le mariage. Les amis d'Ariel réussirent à arracher le coquillage magique du cou de Vanessa. Ariel retrouva sa voix et le prince fut libéré du sortilège d'Ursula.

Comprenant qu'Ariel était la jeune fille de ses rêves, il courut se jeter dans ses bras. Mais son baiser arrivait trop tard. Ariel était déjà redevenue une sirène et Ursula la jeta dans la mer.

« Je ne la perdrai pas une seconde fois », cria le prince en plongeant dans l'océan pour la sauver.

Grâce à son courage et à la force de son amour, Éric

réussit finalement à tuer la puissante sorcière des Mers.

« Ariel l'aime vraiment, je crois », dit le roi à Sébastien. Alors, en souriant, il dirigea son trident magique vers sa fille et deux jambes apparurent à la place de sa queue de sirène.

Ariel se maria avec le prince, en présence du peuple de la mer et son bonheur fut complet.

L'AMOUR FLEURIT LÀ OÙ ON NE L'ATTEND PAS

Il y a bien longtemps de cela, une bête hideuse retenait prisonnière une belle jeune fille dans son château ensorcelé. Belle avait accepté ce sacrifice en échange de la liberté de son père.

Elle découvrit bientôt que la demeure abritait d'étranges habitants : les anciens serviteurs du château avaient été transformés en objets. Mrs Samovar, la théière, et son fils, Zip, une petite tasse, eurent vite fait de la mettre à l'aise.

« Tout finira bien », la rassurait Mrs Samovar.

Le monstre était inquiet. Une sorcière l'avait transformé de beau prince en horrible bête et le charme ne serait rompu que s'il aimait une personne et en était aimé

avant que le dernier pétale d'une rose magique ne tombe. La Bête avait perdu tout espoir… jusqu'à l'arrivée de Belle. Maintenant, elle était effrayée à l'idée que la jeune fille ne la verrait jamais que sous la forme d'un monstre.

« Elle est si belle et moi… enfin, vous voyez bien ! criait-il à ses serviteurs.

– Aidez-la donc à voir au-delà de votre apparence », lui suggérait Mrs Samovar.

Et elle lui donnait des conseils : agir en

gentleman, la complimenter, être aimable et sincère.

« Et surtout, insistait-elle, vous devez contrôler vos mouvements d'humeur ! »

La Bête fit beaucoup d'efforts pour être polie lorsqu'elle invita Belle à se joindre à elle pour le dîner, mais son

habitude consistait à donner des ordres et à être obéi. Quand Belle refusa, le monstre sentit la colère l'envahir.

« Si elle ne mange pas avec moi, elle ne mangera pas du tout ! » rugit-il.

Mais Mrs Samovar ne voulut pas laisser Belle le ventre vide. Elle improvisa donc un délicieux repas et Lumière orchestra un magnifique spectacle.

Belle éprouvait beaucoup d'affection pour

ses nouveaux amis, mais elle ne voulait toujours pas avoir affaire à la Bête. Il fallut que le monstre lui prouve son attachement en la protégeant des loups pour qu'elle commence à lui faire confiance.

Petit à petit, leur amitié grandit. Un jour, alors qu'ils

jouaient ensemble dans la neige, Belle montra à la Bête comment donner à manger aux oiseaux. Elle prit conscience que son geôlier possédait certaines qualités qu'elle n'avait jamais remarquées.

Le monstre était heureux que Belle n'ait plus peur de lui. Il voulut lui faire un cadeau pour éclairer sa vie d'un peu de joie et la conduisit dans son immense bibliothèque. Belle ne put en croire ses yeux lorsqu'elle vit tous ces livres.

« C'est pour vous », lui dit la Bête.

Elle savait que Belle adorait les livres.

« Oh, merci infiniment ! » répondit la jeune fille en souriant.

Leur amitié devint de plus en plus profonde. Ils riaient et parlaient ensemble comme avec personne d'autre.

La Bête eut l'idée d'organiser un bal pour Belle. Mais elle s'inquiétait en pensant qu'il lui était impossible d'être présentable. Big Ben, la pendule, et Lumière aidèrent le monstre dans ses préparatifs et lui assurèrent qu'il était beau et élégant.

Lorsqu'il vit Belle dans sa robe de bal, il s'inclina avec admiration. Pendant le dîner, il se comporta en parfait

gentleman et quand Mrs Samovar entonna une chanson d'amour, les deux amis dansèrent dans la salle de bal, heureux d'être dans les bras l'un de l'autre.

Qui aurait pu imaginer que l'amour de la Bête pour Belle entraînerait le départ de la jeune fille ?

« Tu es libre de partir », lui dit un jour la Bête.

Le cœur du monstre était plein de bons sentiments et il ne pouvait plus la retenir prisonnière.

Belle partit donc pour rendre visite à son père malade. La Bête avait le cœur brisé.

Lorsque les villageois attaquèrent son château, elle ne fit rien pour se défendre.

Belle prit conscience de son amour pour la Bête et tenta d'arrêter la foule. Mais il était trop tard. La Bête, blessée, était étendue sur le sol, prête à rendre son dernier soupir.

« J'aurai au moins eu le bonheur de vous revoir une dernière fois, dit-elle, ses yeux dans ceux de la jeune fille.

– Non ! cria-t-elle. Je vous aime. »

Alors, à cet

instant, une pluie d'or se mit à tomber du ciel et la Bête reprit sa forme humaine. Belle regardait le beau prince qui se tenait devant elle sans pouvoir en croire ses yeux.

En plongeant son regard dans le sien, elle y reconnut toute la gentillesse et tout l'amour de son ami.

Des éclairs illuminèrent soudain le ciel et les serviteurs retrouvèrent eux aussi leur apparence humaine.

Ils célébrèrent l'événement par un grand bal. Et tandis que les deux amoureux valsaient, l'assemblée éblouie admirait l'amour infini qui unissait la Belle et la Bête.

Disney

Mulan

Conseil d'ami

Il y a très longtemps, en Chine, un tout petit dragon nommé Mushu quitta sa demeure ancestrale pour assurer la protection d'une jeune fille, Mulan. Elle s'était déguisée en homme afin de partir à la guerre contre

les Huns à la place

de son père blessé.

« Marche comme

un homme,

les jambes écartées,

lui conseilla Mushu

lorsqu'elle entra

dans le camp.

Et donne-leur

des coups de poing,

ils adorent ça. »

Mais à chaque fois que Mulan suivait un conseil

du petit dragon,
une pagaille s'ensuivait.
Ainsi, le désordre
le plus complet régnait
dans le camp lorsque le
capitaine Shang arriva.

« Euh… je m'appelle… Ping », lui dit Mulan en essayant tant bien que mal de prendre une voix masculine.

Récemment monté en grade, Shang était un chef plein de force et d'adresse, et ne tolérait pas les fauteurs de troubles.

Mulan réussit à gagner son respect à force d'entraînement et de ruse. Tous les soldats admiraient sa détermination et ils cherchèrent à suivre son exemple.

Jusqu'alors personne, y compris ses meilleurs amis, Chien Po, Ling et

Yao, ne savait que « Ping » était en réalité une fille.

Shang et ses troupes se mirent joyeusement en marche pour rejoindre l'armée impériale. Mais leur bonne humeur tomba lorsqu'ils découvrirent que les guerriers avaient été

massacrés. Le père de Shang était mort dans la bataille.

Mulan tentait de réconforter son capitaine quand l'ennemi attaqua.

En soldat courageux, la jeune fille provoqua, avec l'aide de Mushu, une avalanche qui ensevelit leurs ennemis. Et, bien que blessée dans la bataille, elle sauta sur son cheval et sauva Shang des trombes de neige. Shang fut touché par son courage.

« Tu as maintenant toute ma confiance », dit-il après l'avoir remerciée.

Un médecin examina Mulan pour soigner ses blessures. La vérité concernant « Ping » éclata donc au grand jour.

Sa supercherie était punissable de mort, mais Shang fut clément et l'épargna.

« Tu m'as sauvé la vie, je me dois de sauver la tienne », déclara-t-il.

Triste et découragée, Mulan resta seule avec Mushu. Le cœur gros, elle se confia à son ami :

« Je voulais seulement réussir quelque chose de bien pour être enfin fière de moi. Mais j'ai échoué. »

Mushu la consola en lui avouant qu'il ne l'avait aidée que pour gagner le titre de gardien de sa famille.

« Toi, tu as risqué ta vie par amour pour les tiens. Moi,

j'ai risqué la tienne dans mon seul intérêt », ajouta-t-il.

Mulan prit le petit dragon dans ses bras. Comment aurait-elle pu être longtemps fâchée avec un ami pareil ?

En se relevant, la jeune fille vit qu'une poignée de Huns avait survécu à l'avalanche. Elle se mit aussi en route et galopa vers la Cité Impériale pour avertir Shang.

Peu après son arrivée, l'empereur fut fait prisonnier par l'ennemi.

Chien Po, Ling et Yao essayèrent sans succès de forcer l'entrée du palais pour le délivrer.

« Eh, les gars, j'ai une idée ! » s'écria Mulan.

Ils acceptèrent avec joie l'aide de leur malicieuse amie et laissèrent Mulan les déguiser en femmes. Ils escaladèrent ensemble le mur de la forteresse et

attaquèrent les Huns par surprise. Shang réalisa qu'il pouvait faire confiance à la jeune fille et accepta lui aussi de suivre son plan. Ils sauvèrent l'empereur, mais Shan Yu, le chef des Huns, se lança dans un combat acharné contre Shang.

Pour lui porter secours, Mulan révéla à l'ennemi que c'était elle qui avait causé sa défaite dans la montagne.

Shan Yu se lança alors à sa poursuite. Avec l'aide de Mushu, la jeune fille avait mis au point un plan : elle entraîna Shan Yu jusqu'au dernier étage du palais et immobilisa le guerrier en clouant son manteau à la corniche.

Au même instant, le petit dragon envoya une fusée droit sur lui. Shan Yu périt dans l'explosion.

Mulan fut heureuse de rentrer chez elle. Elle savait maintenant qu'elle était une personne de valeur et qu'elle avait des amis sur qui compter. Mulan fut accueillie avec joie et elle offrit à son père l'épée que l'empereur lui avait donnée. Shang la rejoignit car il s'aperçut qu'il était tombé amoureux d'elle.

La vie souriait finalement à Mulan.

Mushu, lui, devint le gardien officiel de la famille. « Qu'on m'apporte de bons gros pâtés impériaux ! » criait-il aux quatre coins du temple des ancêtres.

Disney

DUMBO

L'amitié donne des ailes…

Les enfants se moquaient sans cesse des grandes oreilles de Dumbo. Alors, Madame Jumbo se mit en colère et fonça sur eux. Le directeur du cirque crut qu'elle était devenue folle et l'enferma à l'écart. Privé de son affection, le pauvre Dumbo était désespéré. Il se sentait seul au monde.

Les autres éléphants refusaient de lui parler et lui tournaient le dos.

Un souriceau nommé Timothée

écoutait avec un air désapprobateur les bavardages des pachydermes. Il décida de leur donner une leçon.

« Qu'est-ce que ça peut faire que Dumbo ait de grandes oreilles ? » pensait Timothée.

Il se glissa au centre du cercle des grosses bêtes, leva les bras en l'air et tira la langue. Les éléphants hurlèrent de terreur et grimpèrent aux poteaux du chapiteau.

« Je n'arrive pas à y croire ! s'écria Timothée. Avoir peur d'un souriceau ! Attendez que je dise ça à Dumbo. »

Mais Dumbo, lui aussi, avait peur de Timothée. Il se cacha dans une botte de foin et refusa d'en sortir, même contre une cacahuète.

« Je suis ton ami, dit Timothée pour le rassurer. Et je trouve que tes oreilles sont très jolies. »

Puis il lui promit de l'aider à libérer sa maman s'il

voulait bien sortir de là. Le petit éléphant finit par s'extirper de sa cachette en espérant un miracle.

Timothée avait un plan : il se glissa dans la tente du directeur du cirque et commença à chuchoter dans

l'oreille de l'homme endormi.

« C'est Dumbo qu'il vous faut pour votre nouveau numéro ! » répéta-t-il toute la nuit.

Pensant que l'idée lui était venue dans

ses rêves, le directeur présenta un nouveau numéro époustouflant : un petit éléphant sautant d'un tremplin sur une pyramide de pachydermes. Dumbo était très nerveux. Heureusement que Timothée était là pour l'encourager !

Mais en courant vers le tremplin, le petit éléphant se prit

les pattes dans ses oreilles, rata son saut et fit tomber l'énorme pyramide qui entraîna le chapiteau dans sa chute.

Après ça, ce fut encore pire car le directeur décida de faire de Dumbo un clown. Le pauvre petit n'avait pas confiance du tout dans les autres clowns. Ils l'obligèrent à sauter du haut d'une maison en flammes. Jamais Dumbo n'avait été aussi effrayé et humilié ! À la fin de la représentation, le petit éléphant était inconsolable.

Timothée tenta de réconforter son ami. Il lui offrit

des cacahuètes
et le démaquilla
avec de l'eau
et du savon.
Mais Dumbo ne
s'arrêtait pas de
pleurer. Timothée
savait que la seule
personne qui
pourrait l'aider à cet instant, c'était sa maman. Alors,
il organisa une petite entrevue.

Même si elle ne put l'embrasser qu'avec sa trompe,

Dumbo se sentit réconforté par l'amour de sa mère. Et bien qu'il fût tout triste de devoir regagner sa tente sans elle, Dumbo se montrait très reconnaissant envers Timothée de tout ce qu'il faisait pour lui.

Le lendemain, la souris et l'éléphant se réveillèrent dans un arbre. Ils ne savaient absolument pas comment ils étaient arrivés là. Des corbeaux se moquèrent d'eux lorsqu'ils tombèrent dans une mare.

« N'écoute pas ces oiseaux de malheur », dit Timothée.

Mais l'éléphant s'éloignait déjà, la tête basse. Tout le monde se moquait toujours de lui et de ses grandes oreilles. Timothée était bien le seul à penser qu'il pourrait faire de grandes choses.

« Ça y est, je sais ! » hurla soudain son ami.

Timothée réfléchissait depuis un moment à la façon dont ils avaient pu se retrouver dans cet arbre et il venait de comprendre de quoi les oreilles si particulières de Dumbo étaient capables. C'étaient des ailes parfaites !

« Tu sais voler ! » s'écria Timothée.

Les corbeaux se tordirent de rire.

« Vous avez déjà vu un éléphant volant, les gars ? »

se moquaient-ils.

Timothée prit la défense de son ami.

« Vous auriez aimé, vous, leur demanda-t-il, être séparé de votre mère alors que vous étiez encore un tout petit bébé ? »

Les corbeaux s'excusèrent. Ils ne pensaient pas à mal.

« Ce qu'il lui faut, c'est cette plume magique, dit un des corbeaux.

– Allez, Dumbo, tu peux le faire ! » l'encouragea Timothée.

Serrant la plume dans sa trompe, Dumbo ferma les yeux et commença à battre des oreilles. Il s'efforça de croire Timothée. Ça y était, il volait !

Quand il rouvrit les yeux, le petit éléphant sentit la joie envahir son cœur. La plume toujours dans sa trompe, il volait maintenant dans le ciel comme un oiseau. Assis sur le chapeau de l'éléphant, Timothée l'applaudissait tandis que les corbeaux le complimentaient sur son talent caché.

Il ne fallut pas longtemps pour que les rêves de réussite de Timothée deviennent réalité. Lorsque Dumbo s'élança de la maison en flammes, il fit tomber la plume magique et sentit la panique l'envahir. Mais Timothée lui dit aussitôt qu'il n'avait pas besoin d'elle pour voler.

Alors Dumbo, confiant, s'envola,

stupéfiant tous ceux qui s'étaient moqués de ses oreilles.

Dumbo retrouva enfin sa maman ! Et Timothée fut heureux et fier d'être engagé comme manager de l'unique éléphant volant du monde.

Disney

Rox et Rouky

Amis pour la vie

Rox était un renard et Rouky était un chien. Ensemble, ils jouaient à cache-cache, nageaient dans la rivière, s'amusaient à se battre et à faire la course. Ils ignoraient qu'un renard et un chien ne sont pas faits

pour s'entendre et leur amitié grandissait de jour en jour. Chaque matin, ils avaient hâte de se revoir.

« On sera toujours amis, hein ? » demanda un jour Rox.

Rouky n'en doutait pas. Ils étaient les meilleurs amis du monde. Alors qu'ils se poursuivaient en riant dans la lumière du soir, ils ne pouvaient pas imaginer que cela puisse changer un jour.

Pourtant, un matin, Rox ne trouva pas Rouky dans la forêt. Amos, son maître, avait décidé qu'il devait

apprendre à chasser pour être aussi efficace que son vieux chien, Chef. Rouky aimait Chef comme un père. Il voulait lui faire plaisir et il apprit donc à pister de nombreux animaux,

y compris les renards.

Rox était seul. La Veuve Tartine, qui prenait soin de lui depuis que, tout petit, il était devenu orphelin, lui tint compagnie pendant un long hiver. Le renardeau grandissait. Big Mama, la chouette, lui manquait, avec ses belles histoires et ses sages conseils. Il se languissait également de la maladresse de Dinky et Piqueur. Mais par-dessus tout, c'étaient ses jeux avec Rouky qui lui manquaient.

Au retour du printemps, il courut dehors, fou de joie. Alors qu'il discutait joyeusement avec Big Mama, Dinky et Piqueur, il entendit le camion d'Amos Slade sur la route. Rouky ne devait pas être loin !

Ses amis tentèrent de l'avertir que Rouky avait certainement beaucoup changé maintenant qu'il était un véritable chien de chasse, mais Rox refusait de croire que Rouky pût un jour devenir son ennemi.

« Rouky est mon ami ! » insistait-il.

Cette nuit-là, Rox décida de rendre visite à son vieux copain. Quelle ne fut pas sa surprise quand il lui annonça :

« Nous ne pouvons plus jouer ensemble, à présent. »

Rox tenta de convaincre Rouky de changer d'avis, mais Chef se réveilla et le prit en chasse.

Amos ordonna à Rouky de le pister, mais le chien fit exprès de conduire le chasseur dans la mauvaise direction.

« Je ne veux pas qu'on te fasse du mal, murmura Rouky au renard effrayé. Va-t'en par là. »

Heureux que leur amitié soit toujours vivante, Rox obéit.

Il rentra chez lui et trouva la Veuve Tartine très inquiète. Elle voulait offrir à son protégé la sécurité et le bonheur, mais elle était consciente qu'elle ne pourrait pas toujours le protéger d'Amos. Elle embrassa tristement le renard, lui ôta son collier et l'emmena dans un endroit où la chasse était interdite, pensant qu'il y serait en sécurité.

La première nuit fut longue et pénible. Rox était terrorisé. Ses amis et la douceur de son foyer lui manquaient cruellement.

Il était sur le point de se laisser aller au désespoir quand il tomba nez à nez avec la plus jolie créature qu'il ait jamais vue ! Vixy, une ravissante renarde, n'eut qu'à murmurer un doux « Hello », accompagné d'un adorable battement de cils, et Rox était tombé amoureux.

Ensemble, les deux renards explorèrent joyeusement les environs.

Vixy apprit à Rox à se débrouiller dans la forêt. Il finit même par s'y sentir en sécurité.

Un soir, alors que Rox et Vixy regagnaient leur terrier, Rox aperçut un objet brillant dans les feuilles mortes.

« Clac ! Clac ! Clac ! » firent les pièges qu'Amos avait posés.

Bien que la chasse fût interdite dans cette forêt, Amos et Rouky se lancèrent à ses trousses. Après une course éperdue, Rox et Vixy réussirent à les distancer, mais virent avec effroi que les chasseurs étaient attaqués par un ours gigantesque. Rox ne pouvait pas abandonner son vieil

ami ! Il décida donc de risquer sa propre vie en attirant l'ours sur un tronc en équilibre au-dessus d'une chute d'eau. L'arbre finit par céder sous le poids de la bête qui tomba dans le ravin, entraînant Rox dans sa chute. Quand

il rouvrit les yeux, Amos pointait son fusil dans sa direction.

« S'il veut te tuer, il faudra d'abord qu'il m'abatte », dit Rouky en s'interposant.

Rouky avait compris qu'un véritable ami comme Rox, c'était un ami pour la vie. Désemparé par l'attitude de son

chien, Amos se laissa finalement attendrir et épargna Rox.

Rox et Vixy ne se quittèrent plus et leur amour s'épanouit dans le calme de la forêt. De temps en temps, Rox montait en haut de la falaise pour regarder Rouky dans la vallée, sûr que même le temps, la distance et les lois de la nature ne pourraient jamais briser leur amitié.

Disney · PIXAR

(a bug's life)

Pour l'amour d'une princesse

Princesse Couette faisait toujours confiance à Tilt, même lorsque ses inventions semaient la pagaille. Il était gentil et toujours prêt à l'écouter. Couette n'était encore qu'une petite fourmi, mais Tilt se comportait avec elle comme si elle était quelqu'un d'important.

« Tu vas grandir, aussi vrai que les petites graines deviennent des arbres

gigantesques », lui disait-il.

Un jour, Tilt partit pour la ville, à la recherche d'insectes mercenaires capables de combattre les sauterelles qui terrorisaient la colonie et Couette l'encouragea. Les autres fourmis étaient sûres que Tilt ne reviendrait pas vivant. Couette, confiante, fit de grands signes à son ami quand il s'envola, accroché à une graine de pissenlit.

Tilt revint bientôt.

« Tu as réussi ! » s'écria joyeusement Couette.

Mais sa sœur, Princesse Atta, paraissait inquiète. Est-ce que les gros insectes qu'il avait ramenés étaient vraiment capables de battre les sauterelles ? Quant à Tilt, il fut très embarrassé lorsque Rosie, l'araignée, lui dit discrètement :

« Il y a erreur sur la personne : nous sommes des artistes de cirque, pas des guerriers ! »

Tilt n'eut pas le courage de dire la vérité aux autres fourmis et Princesse Atta fut conquise quand l'étrange petite troupe sauva Couette d'un dangereux oiseau.

« Hourra ! » s'écrièrent toutes les fourmis.

Leurs applaudissements ravirent les insectes de cirque qui acceptèrent de se faire passer pour des mercenaires.

Après le sauvetage de Couette, Princesse Atta entraîna Tilt à l'écart.

« Je voudrais te présenter des excuses, lui dit-elle en

parlant de ses doutes à propos des guerriers. Je dois reconnaître qu'ils sont très courageux, car même les sauterelles ont peur des oiseaux. »

Cette remarque donna une idée à Tilt : construire un oiseau-épouvantail pour effrayer Le Borgne et ses troupes de sauterelles. Princesse Atta se sentait coupable de ne pas

avoir cru en lui et elle ordonna à la colonie de suivre ses instructions. Toutes les fourmis se mirent donc au travail pour construire un épouvantail qui chasserait Le Borgne et sa bande pour de bon.

Quelques heures plus tard, un immense oiseau fait de feuilles et de brindilles fut hissé en haut d'un arbre.

Tilt remercia les insectes de cirque et leur proposa de rentrer chez eux, mais ces derniers avaient changé d'avis. Eux aussi faisaient maintenant confiance à Tilt.

« On n'a plus du tout envie de partir », annonça Cake

le scarabée tandis que les autres hochaient la tête.

C'est alors que surgit Lilipuce, le directeur du cirque. Il préparait un nouveau spectacle et venait chercher les artistes. Tilt eut beau se placer devant l'affiche, les fourmis découvrirent qu'il leur avait menti.

Furieuse d'avoir été trompée, la Reine expulsa Tilt de la colonie, ainsi que ses copains les saltimbanques.

« Ça va aller, répétait la petite troupe pour réconforter le malheureux Tilt. Et puis tu sais, ce n'est pas mal non plus d'être un artiste de cirque. »

Mais Tilt était trop triste pour qu'on puisse le consoler. Lorsque Couette le rejoignit, Tilt se considérait décidément comme un bon à rien, mais la petite princesse savait bien que son cœur était pur.

Elle réussit à le convaincre que sa ruse marcherait. Il fallait seulement qu'il croie de nouveau en lui.

Aidé de ses amis, Tilt exécuta son plan avec courage, mais il échoua malgré tous ses efforts. Le Borgne était fou de rage qu'une petite fourmi comme Tilt ose contester son autorité. Princesse Atta comprit finalement que Couette

avait raison depuis le début : Tilt avait toujours agi dans l'intérêt de la colonie.

Aussi, quand Le Borgne prit Tilt en otage, Princesse Atta se lança à ses trousses et, au péril de sa vie, arracha

Tilt des griffes de la sauterelle. Tilt lui conseilla de se poser près d'un nid d'oiseau et Atta, confiante, lui obéit. Bientôt, Le Borgne servit de déjeuner à trois oisillons affamés. Les fourmis étaient enfin libres !

Sur l'île des Fourmis, Atta fut couronnée et devint reine. Elle nomma Tilt inventeur officiel de la colonie. Jamais il n'avait été aussi heureux.

Dans l'allégresse générale, seuls les insectes de cirque éprouvèrent un petit pincement au cœur : il était temps

de partir. Après avoir embrassé chaleureusement leurs nouveaux amis, ils s'envolèrent dans le ciel bleu en faisant des signes de la patte à Princesse Couette, à Tilt et à la Reine Atta.

Walt Disney

La Belle et le CLOCHARD

Les contraires s'attirent

Lady et Clochard dégustaient les meilleures pâtes de la ville. Occupés à se regarder dans les yeux, ils ne s'aperçurent qu'ils étaient en train de déguster le même spaghetti que lorsque leurs museaux se touchèrent.

« Quelle soirée romantique », songeaient-ils tous deux en se promenant dans les rues paisibles de la ville.

Unis par une complicité silencieuse, ils déposèrent l'empreinte de leurs pattes dans du ciment encore frais, tandis que leurs regards se croisaient amoureusement. Puis Clochard conduisit Lady dans un parc où ils s'endormirent doucement.

Le lendemain, Lady se réveilla inquiète.

« Je dois rentrer chez moi à présent », dit-elle.

Clochard fut étonné que Lady veuille retourner chez elle.

« Nous ne sommes pas heureux, tous les deux, à vivre cette merveilleuse vie de chien ? lui demanda-t-il.

– Tu as peut-être raison, répondit-elle en souriant. Mais qui surveillera le bébé ? »

Clochard comprit que Lady était très fidèle envers ses maîtres, Jim Chéri et Darling, qui étaient très gentils.

« Maintenant que Lady est là, je crois que nous avons tout pour être heureux », avait dit un jour Jim Chéri.

Et depuis que le bébé était né, leur vie était encore plus belle. Lady se sentait utile. Elle avait hâte de rentrer à la maison pour protéger le petit enfant qu'elle chérissait.

Mais lorsqu'elle arriva, Jim Chéri et Darling étaient en voyage. Tante Sarah, qui gardait le bébé pendant leur absence, se montra furieuse contre Lady parce qu'elle

s'était enfuie. Elle enchaîna la pauvre chienne à sa niche. Incomprise par la vieille femme, Lady fut traitée sévèrement. Elle eut beau gémir et ouvrir de grands yeux tristes, tante Sarah refusa de la détacher.

Le cœur gros, Lady se résigna à passer une nuit dans

le froid et la solitude. À peine avait-elle fermé un œil qu'elle se réveilla en sursaut.

Un gros rat s'introduisait dans la cour ! Elle voulut le prendre en chasse, mais la chaîne la retenait. Lady, impuissante, vit l'affreuse bête se faufiler par la fenêtre ouverte dans la chambre du bébé.

Paniquée, elle se mit à aboyer de toutes ses forces.

« Qu'est-ce qui t'arrive, ma poulette ? »

C'était Clochard, accouru à son secours. Lady se sentit soulagée par la présence rassurante de son ami. Elle lui expliqua la situation et

il courut protéger le bébé. Il se battit contre le rat jusqu'à ce qu'il l'eût tué.

Lady, qui avait finalement réussi à se libérer, se tenait fièrement à côté de lui lorsque tante Sarah entra dans la pièce pour consoler le bébé qui pleurait.

« Dieu du Ciel ! » s'écria-t-elle en voyant le berceau

renversé et la chambre sens dessus dessous. Elle ne vit pas le rat, accusa les deux chiens et appela un employé de la fourrière pour qu'il emmène Clochard. Lady aboyait désespérément.

Heureusement, Jim Chéri et Darling rentrèrent.

Lady les conduisit jusqu'au cadavre du rat et ils comprirent que tante Sarah avait commis une injustice.

Non loin de là, les amis de Lady, Jock et César, n'avaient

pas perdu une miette de la scène et décidèrent d'intervenir.

« Il faut absolument arrêter ce camion ! » s'écria César en se lançant à sa poursuite, suivi par Jock.

Ils tentèrent alors d'obliger l'employé de la fourrière

à s'arrêter. Celui-ci perdit le contrôle de son véhicule qui se coucha sur le côté, écrasant le pauvre César. Jim Chéri arriva, accompagné de Lady. Par chance, César s'était

juste cassé une patte. Clochard rentra à la maison avec sa nouvelle famille. Finalement, avoir un foyer n'était pas si désagréable.

Quelque temps plus tard, Jock et César vinrent fêter Noël avec leurs amis. Lady, heureuse, veilla longtemps sur ses maîtres… et sur sa petite famille.

Disney

Les Aventures de Bernard et Bianca

Des petites souris au grand cœur

« Il faut y croire », lui avait dit Rufus à l'orphelinat. Le vieux chat pensait que Penny était quelqu'un de très particulier et il était certain qu'il existait un papa et une maman qui cherchaient une petite fille comme elle.

Elle se trouvait bien loin de l'orphelinat à présent : elle avait été enlevée par la cruelle Médusa qui la retenait prisonnière à bord d'un bateau échoué dans le marécage du Bayou du Diable. Elle avait plusieurs fois essayé de s'enfuir, mais les crocodiles de Médusa l'avaient toujours retrouvée.

Heureusement, deux petites souris étaient sur les traces de la pauvre enfant. Après bien des aventures, elles avaient réussi à atteindre le bateau échoué.

« La S.O.S. Société compte sur nous », rappela Bianca. Bernard acquiesça. La ravissante Miss Bianca l'avait choisi comme coéquipier pour cette mission, et il en était très fier.

Ainsi, alors que Penny priait pour qu'on lui vienne en aide, deux souris se faufilèrent par sa fenêtre.

« Ne t'en fais pas, Teddy. On va s'en sortir ! » murmurait la petite fille entre deux sanglots à son nounours.

« Penny », appela doucement Bianca. L'enfant leva

son visage baigné de larmes. Les souris lui expliquèrent qu'elles avaient trouvé son message dans la bouteille qu'elle avait jetée à l'eau et qu'elles venaient la sauver.

Les yeux de Penny s'éclairèrent. Tout excitée, elle fit tournoyer Teddy dans les airs.

« C'est Rufus qui nous a dit que tu avais disparu,

continua Bianca. Nous l'avons rencontré lors de nos recherches à l'orphelinat. D'ailleurs, il nous a fait une belle peur ! »

Ensemble, ils élaborèrent un plan. D'abord, Bernard

demanda de l'aide à ses amis qui habitaient le Bayou. Penny leur montra un vieux monte-charge qui serait parfait comme cage à crocodiles. Ils pourraient allumer des fusées de détresse pour distraire l'attention de

l'horrible Médusa et s'enfuir à bord d'un hydroglisseur.

« Tout cela est très excitant », commenta Bianca en serrant dans ses bras un Bernard intimidé. Même Penny riait pour la première fois depuis des semaines.

Pourtant, leur joie fut de courte durée. Bernard et Bianca se cachèrent dans la poche de Penny lorsque Médusa entra pour emmener la pauvre enfant.

Une fois encore, elle allait obliger Penny à chercher l'Œil du Diable.

« Teddy n'aime pas du tout descendre dans ce trou », gémit Penny. La petite fille avait très peur, mais Médusa s'en moquait. Elle s'empara de l'ours en peluche.

« Tu as intérêt à trouver ce diamant, ou tu ne reverras jamais ton précieux Teddy ! » ricana-t-elle.

Terrorisée, Penny obéit. La caverne donnait froid dans le dos, mais cette fois heureusement, Bernard et Bianca étaient là pour l'aider. Après avoir marché un moment, ils aperçurent un squelette étendu sur le sol.

« Si j'étais un pirate, c'est là-dedans que je cacherais l'Œil du Diable », dit Bernard.

Les souris s'approchèrent. Le diamant était bien là, dissimulé dans le crâne !

Bianca et Bernard tentèrent de le sortir, mais le diamant était trop gros.

« Il est coincé à l'intérieur ! » cria Penny.

Soudain, l'eau commença à envahir le puits. Le niveau

montait et Médusa ne semblait pas décidée à les tirer de là.

« Ramène-moi ce diamant, ou tu ne reverras jamais la lumière du jour ! » rugit-elle.

Courageusement, Penny réussit à ouvrir le crâne avec une épée peu avant que l'eau ne l'emporte. Elle venait de saisir l'Œil du Diable quand une vague souleva les trois amis et les déposa dans le seau… juste à temps.

À la surface, l'horrible femme se jeta sur le butin.

« Rendez-moi mon Teddy ! » hurla Penny, mais Médusa ne se préoccupait pas de ses pleurs. Elle cacha le diamant dans le ventre de la peluche en menaçant Penny

avec son fusil. Alors, avec un grand sang-froid, Bernard et Bianca tendirent une corde dans l'embrasure de la porte et Médusa s'y prit les pieds. Pendant que Penny récupérait Teddy, les amis de Bernard les rejoignirent et toute la petite troupe s'enfuit à bord d'un hydroglisseur.

Le lendemain, Bernard et Bianca apprirent que leur amie avait été adoptée. Penny était heureuse et jamais elle n'oublierait ses courageux amis !

Walt Disney

Bambi

La saison des amours

Le Prince Bambi apprenait tout juste à marcher. Pan-Pan, un jeune lapin à la langue bien pendue, l'accompagnait gaiement dans sa découverte de la forêt. Encore mal assuré, Bambi trébuchait en essayant de le suivre.

« Il est un peu flageolant, non ? » disait Pan-Pan qui riait de voir le petit prince trembloter sur ses jeunes pattes fines.

Bambi s'arrêta pour admirer des oiseaux.

« Dis : Oi-seaux, l'encouragea Pan-Pan.

– Oi... essaya le petit faon.

– Oi-seaux », corrigea Pan-Pan.

Bientôt, Bambi réussit à prononcer son premier mot, sous les applaudissements des lapins.

Bambi apprit ensuite « papillon », puis « fleur ». Pan-Pan lui montra comment respirer l'odeur des fleurs, mais lorsque Bambi l'imita, il tomba nez à nez avec un petit museau noir.

« Fleur ! » prononça fièrement le faon.

Pan-Pan se tordit de rire en voyant une moufette émerger du tapis de fleurs.

« Mais non ! commença Pan-Pan. C'est une petite…

– Ce n'est rien, l'interrompit la timide moufette. Il peut m'appeler Fleur si ça lui fait plaisir. »

Très content de son nouveau nom, Fleur devint un nouvel ami pour le jeune prince.

Peu de temps après, alors qu'il jouait dans la prairie, Bambi séduisit un autre cœur. Il regardait son reflet dans l'eau lorsque l'adorable visage d'une jeune biche, Faline,

apparut à côté du sien. Bambi sursauta. Leurs regards se croisèrent et le faon se sentit tout timide. Faline rit de son embarras.

En bondissant vers lui, elle le fit trébucher dans les roseaux et atterrir, avec un grand « splatch ! » dans le ruisseau. La jeune biche taquinait son compagnon de jeu en écartant les roseaux pour lui donner des baisers, puis elle courait autour de lui pour lui lécher la joue.

Bambi, occupé à se défendre, s'amusait beaucoup moins qu'elle.

« Bouh ! » cria-t-il en bondissant vers Faline.

Elle éclata de rire et se mit à courir. Il se lança à sa poursuite dans la prairie, tandis que sa colère s'envolait. Finalement, c'était plutôt sympa d'avoir une biche pour compagnon de jeu.

Les saisons passèrent rapidement. Un matin, Bambi eut la surprise de se réveiller dans un monde tout blanc.

« C'est de la neige, dit sa maman. L'hiver est arrivé. »

Bambi et Pan-Pan s'amusèrent comme des fous dans

la campagne enneigée. Pan-Pan tenta d'apprendre à son ami à faire des glissades sur la glace, mais les sabots de Bambi et ses longues pattes fines n'étaient pas faits pour ce genre d'exercice... Fleur ne partageait pas leurs jeux.

« Les moufettes dorment pendant l'hiver », expliqua-t-il.

D'autres saisons passèrent. Bambi et ses amis devinrent de charmants jeunes mâles. Maître Hibou les avertit qu'ils ne tarderaient pas à être atteints par le « mal du printemps » et à tomber amoureux.

« Ce n'est pas à moi que ça risque d'arriver ! » déclara

chacun des trois compères. Ils s'éloignèrent la tête haute.

Mais soudain, le cœur de Fleur se mit à battre la chamade. Les deux plus beaux yeux bleus qu'il ait jamais vus le regardaient au milieu d'un tapis de pâquerettes.

La femelle moufette lui donna un baiser et Fleur devint rouge de la tête aux pattes. Avec un sourire béat, il la suivit à travers les fleurs.

« Le mal du printemps ! » s'écria Pan-Pan.

Bambi et Pan-Pan continuèrent leur chemin ; ils avaient du mal à croire à cette histoire.

Tout à coup, Pan-Pan s'arrêta net. Il tourna la tête pour admirer une superbe lapine occupée à faire gonfler

la fourrure de ses joues. Un battement de ses longs cils, un baiser, et Pan-Pan tomba amoureux.

Bambi se retrouva donc seul.

Il aperçut Faline, qui était devenue une biche magnifique.

« Bonjour, Bambi, dit-elle en riant gentiment. Tu te souviens de moi ? »

Cette fois, ce n'était pas pour le taquiner qu'elle se pencha vers lui et qu'elle l'embrassa. Il ne l'en empêcha pas, comme il le faisait lorsqu'ils étaient encore des faons. Bambi ouvrit de grands yeux. Il se mit à bondir derrière

Faline. Il avait
l'impression
de courir dans
les nuages.
Ils gambadèrent
joyeusement
dans la prairie
et décidèrent

de rester ensemble pour le restant de leur vie.

Ils devinrent bientôt les heureux parents de deux petits faons que tous les animaux de la forêt vinrent admirer. Pan-Pan se déplaça avec toute sa grande famille.

Fleur vint avec son bébé moufette. Bambi était heureux de partager sa joie avec tous ceux qu'il aimait !

Walt Disney

Blanche Neige et les Sept Nains

Des amis sur qui compter

Blanche-Neige regardait autour d'elle. La forêt était tranquille. Le soleil brillait dans le ciel bleu.

La nuit, tout lui avait semblé différent. Elle avait eu tellement peur des ombres tapies dans les sous-bois !

Les animaux de la forêt s'approchèrent pour admirer la jolie princesse.

Les oiseaux se mirent à chanter et elle les accompagna. Chanter la réconfortait toujours. Puis elle demanda aux animaux s'ils connaissaient un endroit où elle pourrait se mettre à l'abri pour la nuit. Ils la conduisirent alors jusqu'à une clairière où se dressait une charmante petite chaumière.

Blanche-Neige entra, mais elle ne trouva personne. La pièce était sale, avec de grandes piles de vaisselle dans l'évier et des vêtements un peu partout. Elle compta les adorables petites chaises autour de la table et en déduisit que cette maison devait être habitée par sept enfants.

« Peut-être n'ont-ils plus de mère », pensa-t-elle.

Blanche-Neige décida de leur faire une surprise : elle allait nettoyer la maison et préparer le dîner. Les animaux de la forêt l'aidèrent à dépoussiérer, à laver et à balayer. Elle mit de la soupe à cuire puis elle monta à l'étage où elle découvrit sept

petits lits. Sur chacun d'eux, un nom était gravé : Prof, Joyeux, Timide, Dormeur, Atchoum, Grincheux, Simplet.

Les lits semblaient très confortables et elle se sentait fatiguée. Elle s'allongea, les oiseaux la couvrirent d'une

couverture et elle s'endormit.

Sept nains rentrèrent bientôt chez eux.

« La maison a été nettoyée ! » s'exclama Prof.

Inquiets,
ils montèrent
à l'étage.
Voyant une
forme sous
la couverture,
ils s'approchèrent précautionneusement et découvrirent avec surprise la jolie jeune fille.

« C'est un ange », murmura Timide.

Grincheux, lui, n'était pas de cet avis :

« Toutes les femmes sont des calamités », grogna-t-il.

Les Sept Nains étaient un peu effrayés.

« Oh, des petits hommes ! » s'écria gaiement Blanche-Neige.

Elle s'amusa à deviner leur nom puis leur raconta comment elle avait été chassée par sa belle-mère, la Reine.

« Elle a essayé de me tuer », leur confia-t-elle.

Grincheux se montrait toujours aussi désagréable.

« Nous devons la chasser ! » bougonna-t-il, car il avait très peur de la magie de la méchante Reine.

« Vous n'avez rien à craindre. Elle ne me retrouvera jamais ici, promit la princesse. Et puis, je ferai le ménage, la cuisine…

– Elle reste ! crièrent-ils en chœur.

– Allez vous laver les mains. On va manger ! » ordonna Blanche-Neige après

s'être aperçue de leur saleté. Les Sept Nains oublièrent qu'ils n'aimaient pas l'eau et le savon et obéirent pour faire plaisir à la princesse.

Après le dîner, tous jouèrent de la musique et dansèrent, même Grincheux. Jamais ils ne s'étaient autant amusés.

Puis, Blanche-Neige leur raconta l'histoire d'une

princesse qui tombait amoureuse.

« Est-ce que c'est toi ? » demandèrent-ils.

Elle acquiesça en songeant au beau prince qu'elle avait aperçu alors qu'elle chantait près du puits. Intimidée, Blanche-Neige avait couru se cacher dans le château. Et lorsque

le prince lui avait joué une sérénade, elle l'avait regardé depuis le balcon.

« Il avait l'air si romantique », soupira-t-elle.

Elle lui avait envoyé un baiser sur l'aile d'une colombe.

Cette nuit-là, les Sept Nains laissèrent leurs lits

à Blanche-Neige.

Même Grincheux était heureux qu'elle soit restée chez eux.

« Hé, fais attention hein, ne laisse personne entrer dans la maison, dit-il le lendemain matin à la jeune fille en partant au travail.

– Je te le promets, Grincheux », répondit Blanche-Neige en souriant.

Puis elle embrassa chacun d'eux et les regarda s'éloigner.

Dans l'après-midi, oubliant le conseil de Grincheux, Blanche-Neige invita une pauvre vieille femme à entrer. Celle-ci lui offrit une pomme et, sans se douter qu'il s'agissait en fait de la Reine déguisée, la jeune fille croqua

dans le fruit empoisonné et s'effondra inanimée sur le sol.

Les Sept Nains et les animaux de la forêt pleurèrent sur le corps de l'adorable princesse jusqu'au jour où un prince se présenta. En voyant la jeune fille, il reconnut immédiatement la princesse qui l'avait charmé et qu'il n'avait cessé de chercher.

Il déposa un baiser sur ses lèvres et Blanche-Neige ouvrit les yeux.

Fou de bonheur, le prince la prit dans ses bras tandis que les Sept Nains et les animaux de la forêt laissaient éclater leur joie. Blanche-Neige embrassa ses amis et se mit en route avec celui qu'elle aimait, jusqu'à un superbe château où ils vécurent heureux pour le restant de leurs jours.

Disney

Aladdin

ET LA PRINCESSE QUI REFUSAIT DE SE MARIER

La princesse Jasmine s'amusait avec Rajah. Bien que Rajah fût un tigre, il était depuis toujours son meilleur ami. Ce jour-là, il avait dans la gueule un morceau du pantalon du prince Ahmed. Rajah et Jasmine riaient de s'être débarrassés de ce prétendant vaniteux.

Mais cela n'amusait pas du tout le père de Jasmine. « La loi exige que tu te maries avant ton prochain anniversaire », rappelait le Sultan.

Jasmine trouvait la loi injuste. Elle voulait faire un mariage d'amour.

« Essaie de comprendre. Je n'ai jamais rien pu choisir dans ma vie », expliquait-elle.

Elle aurait préféré ne pas être une princesse.

Elle se sentait prisonnière dans une cage dorée.

Cette nuit-là, Jasmine enfila un déguisement : elle avait décidé de s'enfuir. Rajah l'aida à escalader le mur d'enceinte. Il était triste de voir partir son amie, même s'il savait bien que c'était mieux pour elle.

La place du marché

était bruyante et animée. Apitoyée par un enfant affamé, Jasmine prit une pomme sur un étalage pour la lui donner. Mais comme elle n'avait rien pour payer, le marchand, furieux, l'attrapa. Par chance, un bel étranger vint à son secours. Ils coururent jusqu'à son refuge, sur les toits.

Jasmine frissonnait à la pensée d'une telle liberté. Ce jeune homme n'avait personne pour lui dire ce qu'il pouvait ou ne pouvait pas faire. Lui, de son côté, rêvait

d'une vie sans soucis et il regardait souvent vers le palais. Ce devait être merveilleux d'y vivre, sans avoir à se préoccuper de trouver de quoi manger.

« Parfois, je me sens piégé », conclurent-ils en chœur.

Surpris, ils se regardèrent. Jasmine se sentait très bien avec cet inconnu. Elle se pencha pour l'embrasser.

Soudain, des gardes surgirent devant eux. Les issues étaient bloquées.

« Tu me fais confiance ? » lui demanda le jeune homme en lui tendant la main.

Elle plongea son regard dans ses yeux sombres et mit sa main dans la sienne. Ils sautèrent du toit pour atterrir dans un gros tas de foin.

« Cette fois, vermine, tu ne m'échapperas pas ! » cria le chef des gardes.

Jasmine leur révéla qui elle était, mais ils emmenèrent quand même son ami.

« J'agis sur l'ordre de Jafar », lui dit le garde.

De retour au palais,

Jasmine eut une violente discussion avec le vizir de son père. Le désespoir l'envahit lorsque le cruel Jafar lui laissa entendre que son bel étranger avait été exécuté. Submergée par le chagrin, Jasmine s'enfuit en courant.

Quelques jours plus tard, dans les rues d'Agrabah, se déroulait un somptueux défilé. La princesse Jasmine, toujours affligée, se mit à son balcon pour le regarder. Des trompettes sonnaient, des animaux faisaient des tours, on tirait des feux d'artifice et le prince Ali, assis sur le dos d'un énorme éléphant, lançait des pièces d'or dans la foule. Jasmine secoua la tête. Ce prince croyait-il pouvoir acheter sa main ?

Elle le héla d'une voix pleine de colère :

« Je ne suis pas à vendre ! »

Mais le prince Ali n'était pas homme à abandonner et ce soir-là, il s'introduisit sur son balcon. Rajah s'avança

pour le chasser mais Jasmine l'arrêta : le visage du prince lui semblait familier. Elle s'approcha et il lui montra son tapis volant.

« Nous pourrions quitter le palais… partir découvrir le monde », proposa le prince Ali.

Jasmine hésitait. « Tu me fais confiance ? » demanda-t-il et aussitôt, Jasmine reconnut l'étranger du marché. Elle sauta à bord et le tapis les emporta dans la nuit étoilée. Elle était ivre de bonheur et aurait voulu que cette nuit ne finisse jamais.

Par malheur, Jafar découvrit bientôt la lampe magique du prince Ali. Il révéla à tous que le fiancé de Jasmine était en fait un mendiant d'Agrabah. Le génie de la lampe

avait exaucé son vœu et lui avait offert la richesse.

« Jasmine, pardonne-moi de t'avoir menti en te disant que j'étais un prince », supplia

humblement Aladdin.

Jasmine prit sa main. Ce n'était pas parce qu'il était un prince qu'elle l'aimait. Elle l'aimait pour lui-même.

Le Sultan comprit qu'Aladdin était un jeune garçon de valeur et il fit modifier la loi pour permettre à sa fille de se marier avec lui.

Des feux d'artifice illuminèrent le ciel pour célébrer les

noces de Jasmine et Aladdin, tandis qu'ils s'embrassaient sur le tapis volant. Ils survolaient un monde nouveau dans lequel ils vivraient ensemble, heureux pour toujours.

Écoute ton cœur

Pocahontas scrutait le vénérable visage de Grand-Mère Feuillage. Parce qu'elle avait vu dans ses rêves une flèche qui tournoyait sans s'arrêter, elle demanda : « Quel est mon destin ? »

Grand-Mère Feuillage lui expliqua que les esprits vivaient dans toute chose, dans la terre, l'eau et le ciel.

« Écoute-les avec ton cœur, ils te guideront. »

Pocahontas grimpa en haut d'un arbre. Elle vit d'étranges nuages blancs sur l'horizon. Il s'agissait en fait des voiles d'un bateau qui transportait des étrangers, dont le terrible gouverneur Ratcliffe.

Cet après-midi-là, Pocahontas suivit discrètement un aventurier qui explorait la forêt. Meiko, son raton laveur apprivoisé, s'approcha de l'inconnu.

Pocahontas se sentait attirée par le jeune homme et décida de le suivre. Il se retourna brusquement et ils

restèrent tous les deux face à face à se regarder. John Smith n'avait jamais vu de femme si belle et si mystérieuse. Il fit un pas vers elle, mais son mouvement effraya Pocahontas, qui courut comme une biche vers la rivière où était amarré son canoë.

« Attends ! lui cria-t-il. Je ne te veux aucun mal. »

Bien qu'il parlât une autre langue, elle le comprit avec son cœur.

« Je m'appelle Pocahontas », dit-elle lorsqu'il prit sa main.

Puis ils parlèrent comme ils ne l'avaient jamais fait avec personne auparavant. Ils rirent de voir Meiko fouiller la besace de John à la recherche de nourriture et

Pocahontas rassura Flit, son ami colibri qui voletait devant John pour essayer de la protéger. Pocahontas savait au fond d'elle-même que John Smith était bon. Elle se sentait en sécurité avec lui.

Elle se mit à chanter tout en le guidant à travers la forêt.

« Tous les êtres vivent en harmonie sur cette terre », lui expliquait-elle. Elle lui montra la tendresse d'une

maman ours pour ses oursons. Ils écoutèrent hurler les loups et regardèrent les aigles tournoyer dans le ciel.

Les paroles de Pocahontas émurent John Smith. Il réalisait maintenant que son peuple avait encore beaucoup de choses à apprendre. Il entendait les voix de la montagne et voyait les couleurs du vent. Cette jeune femme avait raison. La terre n'appartenait à personne.

Nakoma était inquiète pour son amie d'enfance, car on lui avait expliqué que les colons étaient dangereux. Pocahontas lui fit promettre de ne rien dire à personne. Nakoma se sentait mal à l'aise en regardant les silhouettes des deux jeunes gens s'éloigner.

Pocahontas conduisit John devant Grand-Mère Feuillage. Les vénérables yeux plongèrent avec bienveillance dans le regard bleu de John.

« Son âme est pure, dit-elle à Pocahontas, et en plus il est beau.

– Elle me plaît bien », dit John en éclatant de rire.

Pocahontas était ravie. Lorsque John

Smith se fut éloigné, Grand-Mère Feuillage suggéra à la jeune fille qu'elle avait peut-être trouvé son destin.

Nakoma supplia Pocahontas de ne plus revoir John, mais son amie ne l'écouta pas. Très inquiète, Nakoma envoya un guerrier pour chercher la princesse. Ils revinrent avec John Smith comme prisonnier.

« Je suis désolée, dit Nakoma. Je pensais bien faire. »

Elle aida son amie à entrer dans le tipi de John.

« Si nous ne nous étions pas rencontrés, murmura Pocahontas à John, rien ne serait arrivé !

– Je préfère mourir plutôt qu'avoir vécu cent ans sans te connaître », lui répondit tendrement John.

Pocahontas alla voir Grand-Mère Feuillage. Elle aurait tant aimé pouvoir empêcher la guerre entre son peuple et celui de John ! Le petit raton laveur alla chercher la boussole qu'il avait chipée à John Smith. À l'intérieur, il y avait une flèche qui tournoyait.

« Comme dans mon rêve ! » s'exclama la jeune femme.

Pendant ce temps, au village, le gouverneur Ratcliffe menaçait le chef des indiens avec un fusil. Lorsque le coup partit, John se jeta devant lui pour le protéger. Son acte héroïque réconcilia les deux peuples qui décidèrent de conclure la paix. Mais John était blessé.

Pocahontas sentait son cœur se briser en pensant qu'il devrait retourner à Londres pour être soigné.

« Je serai toujours avec toi », lui dit-elle en lui donnant un baiser d'adieu.

Tandis qu'elle regardait les voiles de son bateau s'éloigner, le vent se chargea de les unir dans une même caresse.

LE ROI LION

Hakuna Matata

Simba se sentait responsable de la mort de son père. « Tu dois laisser le passé derrière toi, lui conseilla Timon la mangouste. Hakuna Matata ! »

Telle était la philosophie de Timon et de Pumbaa le phacochère.

« Il faut oublier les soucis », chantaient-ils. Avec Pumbaa et Timon comme compagnons, Simba réapprit

à rire et à vivre le moment présent. Le trio se régalait d'insectes, nageait dans les rivières, chantait, racontait des blagues et dormait sous les étoiles.

La vie était belle tant que Simba ne pensait pas à

ses douloureux souvenirs.

« Ton père est mort à cause de toi ! Va-t'en, Simba, et ne reviens jamais ! » lui avait dit son oncle Scar.

Un après-midi, l'amie d'enfance de Simba, Nala, chassait dans les environs. La lionne pensait que Simba était mort. Elle cherchait de la nourriture et avait choisi sa proie : Pumbaa…

« Elle va me manger ! » criait le phacochère paniqué

qui s'était coincé sous une racine. Simba bondit juste à temps pour lui porter secours. Mais Nala le cloua au sol, si vite qu'il reconnut la technique qu'elle utilisait toujours quand ils étaient petits.

« Nala ! » s'écria-t-il joyeusement.

Ravie que Simba soit en vie, la lionne se mit à faire des bonds autour de lui.

Simba fit les présentations pour Timon et Pumbaa :

« Voici Nala, ma meilleure amie. »

Les deux lions avaient été très complices, essayant toujours d'échapper à la surveillance de Zazu, le conseiller du père de Simba. Même lorsque Simba s'était aventuré dans le cimetière des éléphants, Nala était avec lui.

Simba était heureux de la revoir.

« Je ne sais pas si tu te rends compte de ce que cela signifie pour nous… et pour moi, lui dit Nala. Tu m'as vraiment manqué. »

Simba se frotta contre elle.

« Toi aussi, tu m'as manqué », dit-il, mais il n'était pas encore prêt à affronter son passé.

Les deux lions se promenèrent ensemble

dans l'air du soir. Ils jouèrent à se poursuivre dans la prairie et à dévaler une colline. Lorsqu'ils s'arrêtèrent, Nala donna un baiser à Simba. Ce fut un merveilleux moment de tendresse.

« Pourquoi n'es-tu pas revenu ? » osa demander Nala.

Simba s'attendait à cette question. Il baissa la tête.

« Personne n'a besoin de moi », répondit-il.

Mais Nala n'était pas de cet avis. Elle lui raconta que Scar avait laissé les hyènes détruire la Terre des Lions.

« Si tu ne fais pas rapidement quelque chose, nous mourrons tous de faim, dit-elle. Tu es notre seul espoir. »

Pourtant,

Simba n'était pas encore prêt à rentrer. Il s'éloigna avec un air coupable.

« On ne peut pas changer le passé, se répétait-il, et tout est ma faute. »

Non loin de là, le sage babouin Rafiki l'interpella.

« Tu es le fils du roi Musafa », lui rappela-t-il.

Puis il conduisit le lion devant une mare et lui ordonna d'observer son reflet avec attention.

« Il vit en toi ! » lui dit le babouin.

Soudain, les nuages formèrent une ombre et Simba reconnut son père.

« Souviens-toi qui tu es, dit Musafa depuis les étoiles. Tu es mon fils et le seul vrai roi. »

Simba avait peur de ce qu'il allait devoir faire. Il sursauta car Rafiki venait de le taper avec son bâton.

« Pourquoi as-tu fait ça ? demanda Simba, surpris.

– Tu oublieras vite cette douleur, c'est déjà le passé, répondit Rafiki. Le passé peut faire mal. On a le choix entre le fuir ou en tirer des leçons. »

Rafiki leva de nouveau son bâton et Simba se baissa pour éviter le coup. Il avait compris. Il se mit en route pour la Terre des Lions. Il était prêt à affronter son oncle.

Il chemina longtemps, escorté par Nala, Timon et

Pumbaa. Il vit avec tristesse les ravages que Scar avait faits. Ils atteignirent le Rocher du Lion et tout le monde se lança dans la bataille, même le vieux Rafiki.

« C'est moi qui ai tué Musafa, avoua Scar.

– Va-t'en, Scar ! Et ne reviens jamais ! » rugit Simba.

Scar fit mine de partir puis, d'un mouvement brusque, il se jeta sur son neveu. Simba esquiva l'attaque et Scar tomba du haut de la falaise.

Par un formidable rugissement, Simba signifia à tous qu'il reprenait sa place de roi. La nouvelle se répandit et les animaux recommencèrent à se déplacer librement.

La Terre des Lions pansa peu à peu ses plaies, tandis que Simba et Nala fondaient une nouvelle famille.

Disney

Robin des Bois

Prince des hors-la-loi

Autrefois, dans la forêt de Sherwood, vivaient deux hors-la-loi : Robin des Bois et Petit Jean. Ils étaient vifs, malins, et les meilleurs archers du pays.

Le prince Jean envoya une petite troupe à leur recherche pour les arrêter, mais ils réussirent à lui échapper. Grâce

à leurs nombreux déguisements et à leurs ruses, les deux compères avaient l'habitude de lui voler son or et ses bijoux.

Le peuple de Nottingham les considérait comme des héros car ils restituaient toujours aux villageois l'argent des impôts que le shérif collectait.

Un jour, le shérif alla jusqu'à confisquer l'écu qu'un jeune lapin avait reçu pour son anniversaire, laissant sa nombreuse famille sans un sou. Robin des Bois surgit et donna au petit Bobby son arc, ses flèches et son chapeau pour remplacer le cadeau perdu. Les lapins étaient ravis et madame Lapin le remercia

chaleureusement lorsqu'il lui donna un gros sac de pièces d'or.

« Vous risquez votre vie pour nous aider… Soyez béni », dit-elle.

Non loin de là, Belle Marianne songeait à son amour d'enfance et se confiait à son amie, Dame Gertrude.

« J'espère qu'il sait combien je l'aime », soupirait-elle.

Dame Gertrude la rassura et lui promit qu'ils seraient bientôt réunis.

Au même instant, Frère Tuck annonça à Robin des Bois qu'un tournoi de tir à l'arc aurait lieu le lendemain.

« Et Belle Marianne a promis un baiser au vainqueur ! »

Au seul nom de Marianne, Robin des Bois se décida. Il allait gagner ce concours !

« Je l'aime, Petit Jean, avoua-t-il.

– Tu n'as qu'à l'épouser », lui conseilla son ami.

Robin secoua la tête tristement.

« Qu'est-ce que j'ai à lui offrir ? demanda-t-il. Je suis un hors-la-loi. Quel avenir pourrais-je lui proposer ? »

Sous un déguisement parfait, Robin se présenta au tournoi et adressa un clin d'œil à sa bien-aimée.

« Je te souhaite bonne chance, lui dit Belle Marianne. De tout mon cœur », ajouta-t-elle en chuchotant.

Sans le savoir, Robin était tombé droit dans un piège tendu par le prince Jean. Il gagna le tournoi, mais

à la fin de la compétition, l'usurpateur du trône le démasqua, l'arrêta et le condamna à mort.

« Non, je vous en prie ! » cria Belle Marianne. Elle avoua son amour et supplia le prince Jean d'épargner la vie de Robin.

« Belle Marianne, mon aimée, dit Robin, je vous aime plus que la vie. »

Le prince refusa de les écouter. C'était compter sans

Petit Jean. Menaçant le prince Jean de son épée, il l'obligea à libérer son ami. Robin et Belle Marianne s'embrassèrent sous les vivats de la foule.

Pendant que Petit Jean repoussait les soldats, Robin enleva la Belle Marianne. Puis tous s'enfuirent dans la forêt de Sherwood.

Le soir même, une fête fut organisée pour célébrer

la victoire de Robin, qui profita de l'occasion pour demander à Belle Marianne de l'épouser.

« Mon aimé, j'ai cru que vous ne me le demanderiez jamais », répondit-elle en riant.

De nouveau réunis, Belle Marianne et Robin des Bois s'embrassèrent sous le ciel étoilé. Les yeux dans les yeux,

ils se promenèrent sous le couvert des grands arbres. Robin offrit à Belle Marianne une bague de fleurs, puis ils rentrèrent au camp main dans la main.

Leur joie fut de courte durée. Le prince Jean, furieux d'avoir été humilié, tripla les impôts et ordonna au shérif d'arrêter tous ceux qui ne pourraient pas les payer. Les prisons se remplirent. Même Frère Tuck fut arrêté.

Robin des Bois et Petit Jean décidèrent qu'il était temps d'agir. Le shérif était sur ses gardes, mais Robin était rusé. En un rien de temps, il eut assommé le shérif et volé ses clés.

Petit Jean libéra les prisonniers tandis que Robin s'introduisait dans le donjon où dormait le prince Jean. C'est là qu'étaient entassés les sacs d'or collectés par le shérif. Grâce à un ingénieux système de poulies, Robin réussit à les dérober tous.

Peu de temps après, Richard, le roi légitime, revint et mit le prince Jean en prison. Nottingham redevint une cité joyeuse et prospère, qui célébra dans l'allégresse le mariage de Robin des Bois et de Belle Marianne.

Disney

LE ROI LION II
L'HONNEUR DE LA TRIBU

L'AMOUR EST PLUS FORT QUE TOUT

Kiara savait qu'elle n'avait pas le droit d'aller au-delà de la Terre des Lions, mais son père ne lui avait pas expliqué pourquoi. Qu'est-ce qu'il pouvait donc y avoir là-bas de si terrible ? Dès que ses fidèles gardiens, Timon

et Pumbaa, s'arrêtèrent pour déguster des insectes, elle s'éloigna discrètement et entra dans le territoire interdit.

Elle y rencontra un autre lionceau, Kovu, avec lequel elle traversa une dangereuse rivière grouillante de crocodiles. Enthousiasmée par cette aventure, Kiara s'exclama :

« On fait une bonne équipe tous les deux ! Tu as vraiment été courageux.

– Toi aussi, tu as été plutôt courageuse », admit Kovu.

Il la regarda avec curiosité. Sa mère,

Zira, lui avait toujours dit de ne pas faire confiance aux habitants de la Terre des Lions.

Kiara se mit à bondir joyeusement autour de Kovu. Elle riait et voulait jouer, mais il ne comprenait pas. Il commençait juste à sourire quand leurs parents apparurent en montrant les dents.

Simba, le père de Kiara, était l'ennemi de la mère de Kovu. Le Roi Lion l'avait bannie

de la Terre des Lions parce qu'elle restait fidèle à Scar, qui avait tué le père de Simba. Assoiffée de revanche, elle avait enseigné à Kovu la haine et la vengeance. Elle voulait détrôner Simba et faire de son fils le nouveau roi.

« Prends ton petit et va-t'en ! » lui ordonna Simba.

Lorsqu'on sépara Kovu et Kiara, les deux amis se dirent tristement au revoir de la patte.

Leur enfance s'écoula sans qu'ils se revoient, jusqu'à ce

jour où Kiara, devenue une magnifique lionne, partit pour sa première chasse.

Elle avait fait promettre à son père de la laisser se débrouiller seule, mais Simba ne put s'empêcher d'assurer la protection de sa fille unique. Comme à l'accoutumée, il envoya Timon et Pumbaa pour la surveiller… à distance.

Lorsque Kiara tomba nez à nez avec eux, elle se sentit trompée et la colère l'envahit. Pour prouver qu'elle était capable de s'en sortir seule, elle s'élança hors de la Terre des Lions. Elle était loin de se douter que les exilés surveillaient chacun de ses mouvements et elle tomba dans le piège qu'ils lui avaient tendu.

Zira et les siens mirent le feu à la plaine. Kiara tenta d'échapper aux flammes, mais la fumée la fit suffoquer et elle s'évanouit. C'est alors que Kovu arriva. Éduqué pour venger Scar, il vint au secours de la princesse dans le seul but d'approcher Simba pour le tuer. Il était prêt à tout… sauf à tomber amoureux.

« Merci de m'avoir sauvée », lui dit Kiara.

À contre cœur, Simba autorisa Kovu à revenir avec eux au Rocher du Lion. Kiara était heureuse que Kovu fasse de nouveau partie de sa vie et elle le détourna involontairement de sa mission. Elle l'entraîna loin de son père et lui demanda de lui apprendre à chasser.

Alors que Kovu lui montrait comment pister une proie sans se faire repérer, ils rencontrèrent Timon et Pumbaa. Les rigolos essayaient de

se débarrasser d'une nuée d'oiseaux intéressés par leurs vers de terre. Kiara rugit et prit les volatiles en chasse.

« Pourquoi fais-tu cela ? demanda Kovu, perplexe.

– Pour s'amuser ! » répondit Kiara.

Elle fit découvrir à Kovu le plaisir de rire. Même après

avoir été pris en chasse par un troupeau de rhinocéros furieux, il était plus heureux qu'il ne l'avait jamais été.

« C'est super ! » s'écria-t-il en souriant à Kiara.

Sans faire exprès, leurs deux museaux se cognèrent.

Cette nuit-là, couchés sur l'herbe, Kovu et Kiara regardèrent les étoiles.

« Mon père m'a dit que les grands rois du passé veillent sur nous, là-haut dans le ciel, dit Kiara.

– Est-ce que tu crois que Scar y est aussi ? » demanda Kovu.

Kiara tenta de le rassurer. Troublé, Kovu ne savait plus s'il devait suivre sa mère ou son cœur.

Non loin de là, le sage babouin Rafiki les observait. Il entraîna les deux lions dans un monde irréel.

Quand Kovu plongea ses yeux dans ceux de Kiara, il prit conscience de ses sentiments pour elle et ils s'embrassèrent tendrement.

Kovu décida de ne plus essayer de venger Scar et fit la paix avec Simba. Par malheur, ils tombèrent tous deux dans un piège tendu par les exilés.

« Non ! » hurla Kovu, mais il était trop tard.

Simba était maintenant persuadé qu'il avait tout

manigancé et il le chassa de la Terre des Lions.

Kiara avait le cœur brisé. Elle était sûre que ce n'était pas Kovu qui avait organisé l'embuscade et elle s'enfuit pour le rejoindre.

« Regarde, nous ne faisons qu'un ! » dit Kovu en montrant leurs reflets qui s'assemblaient dans une mare.

Ils surent alors que leur amour survivrait à tout. Kiara retourna au Rocher du Lion et mit fin à la guerre.

« Nous ne faisons qu'un ! » déclara-t-elle.

Tandis que la paix s'installait, Rafiki bénit l'amour de Kovu et Kiara. Ils célébrèrent leur union dans la joie.

Disney

Oliver & Compagnie

Des amis dans le besoin

Oliver, le chaton orphelin abandonné dans une rue de New York, avait peu de chances de s'en sortir. Par bonheur, un chien rusé nommé Roublard le prit en pitié.

Le chaton lui fut reconnaissant de l'avoir protégé des méchants dobermans et accepté dans sa bande. Tito,

Einstein et Rita étaient contents d'avoir un nouvel ami, et leur maître, Fagan, se montra gentil avec lui : il lui lut même une histoire en le caressant. Apaisé, Oliver se pelotonna contre Roublard et s'endormit.

Le lendemain, toute la bande se mit en chemin pour

porter secours à Fagan. Le pauvre homme devait de l'argent à un gangster, et ses chiens fidèles étaient prêts à tout pour lui donner un coup de patte.

Ils se séparèrent pour être plus efficaces et Roublard demanda à Tito de garder un œil sur le chaton.

Oliver suivit le chihuahua à l'intérieur d'une voiture de luxe. Alors que Tito

essayait de voler l'autoradio, le chaton, nerveux, sauta sur le tableau de bord, ce qui eut pour effet d'allumer le contact et d'électrocuter Tito.

Paniqué, le chaton cherchait une cachette lorsqu'une petite fille nommée Jenny, assise à l'arrière du véhicule, tendit les mains vers lui et le prit dans ses bras pour le réconforter. Sous ses caresses, le chaton se sentit heureux comme jamais.

« Je vais le ramener chez moi, annonça-t-elle à Winston, son chauffeur. Rentrons vite à la maison. »

Avec des gestes tendres, Jenny emporta le chaton dans ses bras jusqu'à son luxueux appartement de

la Cinquième Avenue. Elle décida de le garder pour toujours et lui prépara une délicieuse pâtée.

Les deux amis ne se quittaient plus. Ils jouaient même du piano ensemble. Jenny lui offrit une écuelle en argent et un collier avec une médaille étincelante où était gravé son nom. Oliver était exactement l'ami qu'il lui fallait.

Le lendemain, à l'école, Jenny attendit avec impatience le moment de rentrer chez elle pour retrouver son chaton. Elle était loin de se douter que Roublard et sa bande s'étaient introduits chez elle et avaient emmené Oliver.

Sur le vieux bateau de Fagan, Roublard, très fier, laissa Oliver sortir du sac.

« Te voilà chez toi », lui dit-il en bombant le torse.

Oliver n'était pas ravi.

« J'étais heureux, là-bas, dit-il tristement. Je veux y retourner. »

Vexé, Roublard réagit avec colère :

« Va-t'en alors ! » aboya-t-il méchamment.

Oliver se sentait triste d'avoir blessé son ami, mais il était certain que sa place était auprès de Jenny. C'est alors que Fagan entra. Il vit la luxueuse médaille d'Oliver et eut l'idée de kidnapper le chaton pour obtenir une rançon qui lui permettrait de payer sa dette.

Ce fut Jenny qui ouvrit la lettre.

Le cœur brisé, la petite fille se lança à la recherche d'Oliver, sa tirelire sous le bras. Accompagnée de Georgette, sa chienne gâtée et orgueilleuse, elle suivit les indications confuses et embrouillées de Fagan.

« Je cherche mon chaton », lui dit-elle.

Honteux, il lui rendit Oliver, sans se douter que le gangster observait la scène. Une idée lui vint : la petite fille vaudrait sans doute beaucoup plus que le chaton. Le bandit fit vrombir sa limousine noire, tendit le bras par la portière et enleva la fillette.

« On va la retrouver », promit Roublard à Oliver.

La petite troupe mit au point un plan et réussit

à sauver Jenny et à l'emmener loin du repaire du gangster. Pourtant, le méchant homme avait une voiture bien plus rapide que le scooter à trois roues de Fagan. Pour lui échapper, celui-ci s'engagea sur les rails du métro, mais le bandit était toujours à ses trousses.

La poursuite commença, à un train d'enfer, entre le scooter et la limousine.

Le bandit se rapprochait dangereusement. Soudain, Fagan tourna son guidon pour rouler de l'autre côté des rails. Un métro fonçait droit sur la limousine noire, qui n'eut pas le temps d'imiter la manœuvre de Fagan. La rame percuta le véhicule de plein fouet.

Après une bonne nuit de sommeil, Winston organisa pour Jenny une réception digne d'une princesse. Fagan et ses amis furent invités.

« Joyeux anniversaire ! » chantèrent-ils tous en chœur.

Oliver et Jenny étaient heureux. Ils ne se quittèrent plus.

Disney

TARZAN®

TU SERAS TOUJOURS DANS MON CŒUR

Tarzan regardait avec angoisse son reflet dans l'eau claire. Il se couvrit le visage de boue.

« Pourquoi suis-je différent des autres gorilles ? » se demandait-il.

Il aurait tellement voulu être comme eux, sauter de

branche en branche

et être aussi fort.

Kala, sa maman,

essaya de le consoler :

« Nous avons tous

deux des mains,

des yeux, un nez,

et nos cœurs battent de la même façon. »

Dans les bras de sa maman, le petit garçon se sentit plein de force et de détermination.

« Je serai le gorille le plus formidable de tous les temps ! » lui promit-il.

Fidèle à son serment, Tarzan grandit et devint un adulte puissant et adroit. Il imita les animaux de la jungle et se battit contre sa meilleure amie, Tok, jusqu'à ce qu'il parvînt à surpasser sa force. Il savait sauter dans les arbres plus vite que les autres. Et grâce à une lance de son invention, il réussit à sauver Kerchak, le chef des gorilles, du cruel léopard, Sabor.

Il gagna peu à peu l'estime de ses « semblables ». Tarzan avait vaincu ses doutes et ses peines.

Un jour, Tarzan entendit des coups de feu et chercha l'origine de ce bruit. Il eut la surprise de tomber sur de curieuses créatures. Clayton, un chasseur, servait de guide au professeur Porter et à sa fille, Jane, dans leur expédition d'étude des gorilles.

Jane s'installa à l'écart pour faire le croquis d'un jeune babouin et Tarzan la sauva de justesse de la colère de sa famille. Jane voulut s'éloigner de cet homme sauvage, mais il s'approcha d'elle et, fasciné, prit ses mains. Elles étaient exactement comme les siennes ! Il écouta les battements de son cœur et posa la tête de la jeune fille

sur sa propre poitrine. Elle prit peur, puis réalisa qu'il ne lui voulait aucun mal. Il semblait gentil et aimable.

« Tarzan », dit-il en se montrant du doigt.

Petit à petit, Tarzan apprit le langage de Jane. Elle lui fit visiter son campement et il s'émerveilla devant les dessins de personnes et de lieux. Tout était nouveau pour lui. Jane, encouragée par son enthousiasme, devint son professeur.

« Je ne l'ai jamais vu aussi heureux », confiait Tantor à Tok.

Tarzan ne pouvait s'empêcher de penser sans cesse à Jane. Le lien qui les unissait était devenu plus qu'une simple attirance.

Un matin, Tarzan arriva au camp et eut la surprise d'apprendre que Jane partait.

« Jane, reste ! » supplia-t-il en lui tendant des fleurs. Mais Jane, les larmes aux yeux, s'éloigna en courant.

Elle était aussi triste que Tarzan de devoir partir.

Non loin de là, Clayton

préparait un mauvais coup. Pour pouvoir capturer des gorilles, il fit croire à Tarzan que Jane resterait s'il lui permettait de rencontrer les singes.

Jane et son père furent très émus lorsque le jeune homme les conduisit jusqu'à sa famille. Jane observa avec joie Tarzan qui parlait aux gorilles.

« M'apprendrais-tu leur langage ? » lui demanda-t-elle.

Gentiment, Tarzan l'aida à prononcer quelques mots de la langue des gorilles. Les singes réagirent bruyamment à ses paroles et elle voulut savoir ce qu'il lui avait fait dire.

« Jane reste avec Tarzan », dit-il. Elle secoua la tête.

Ce soir-là, assis dans un arbre, Tarzan regardait le

bateau ancré au large. Kala lui avait assuré qu'il était son fils, mais il ressemblait tellement aux humains. À quelle espèce appartenait-il ?

Il ne vit pas sa mère approcher. Sans dire un mot, elle l'emmena dans la cabane où elle l'avait trouvé quelques années plus tôt. Il y trouva une vieille photographie de sa famille.

« Je ne veux que ton bonheur… lui dit-elle, quoi que tu décides. »

Il mit les habits de son père.

« Tu seras toujours ma maman, murmura Tarzan.

– Tu seras toujours dans mon cœur », dit Kala.

Tantor et Tok suivirent des yeux le canot qui s'éloignait.

« On n'a même pas pu lui dire au revoir », regretta l'éléphant.

Mais à cet instant, un cri de détresse atteignit le rivage.

Tarzan était en danger !

Vite, Tantor et Tok nagèrent jusqu'au bateau où Clayton retenait prisonnier leur ami. Après avoir courageusement repoussé les bandits, ils délivrèrent Tarzan et Jane. Tous se battirent contre Clayton et ses hommes, mais Kerchak fut mortellement blessé.

« Excuse-moi de ne pas avoir compris que tu avais

toujours été des nôtres, dit le gorille agonisant. Prends soin de notre famille… mon fils. »

Jane s'aperçut qu'elle aimait trop Tarzan pour le quitter. Sur le rivage, elle courut dans ses bras et le serra contre son cœur. Le professeur ne voulut pas se séparer de sa fille et la rejoignit. Tarzan poussa alors son terrible cri pour souhaiter la bienvenue à sa nouvelle famille :

« Oo-oo-ee-eh-ou, Jane reste avec Tarzan. »